Dieses Buch gehört

____

Disney Aladdin

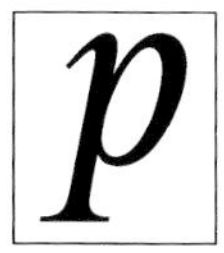

Die deutsche Ausgabe erscheint bei
Parragon Books Ltd
Queen Street House
4 Queen Street
Bath BA1 1HE, UK

Übersetzung aus dem Englischen:
Anke Wellner-Kempf
Satz: Meißner&Reisser, München
Koordination: trans texas GmbH, Köln

ISBN 1-40547-585-4
Printed in China

„Willkommen in Agrabah, Stadt voller Geheimnisse und Zauber. Seht euch dies an. Einst besiegelte diese Lampe das Schicksal eines jungen Mannes. Wobei der Bursche, der diese Lampe hegte, viel mehr war als das, wofür man ihn hielt – ein ungeschliffener Diamant. Soll ich euch die Geschichte erzählen? Sie beginnt in einer finsteren Nacht, wo ein finsterer Mann in finsterer Absicht lauert ...“

In der Wüste

Voller Ungeduld wartete ein Reiter namens Dschafar in der mondbeschienenen Weite der Arabischen Wüste. Da tauchte endlich der Dieb Gazzim auf.

Dschafars Papagei, Jago, stürzte sich auf Gazzim und stahl ihm die Hälfte eines goldenen Skarabäus'. Dschafar zog die andere Hälfte des Medaillons aus seinem Umhang und setzte die beiden Teile zusammen. Plötzlich begann der Skarabäus zu glitzern – und schoss wie eine Rakete davon!

Dschafar und Gazzim folgten dem fliegenden Skarabäus, bis dieser in eine Düne stürzte. Plötzlich erhob sich der Sand und nahm die Form eines Tigerkopfes an. Sein Maul öffnete sich ...

„Da ist sie nun, die Wunderhöhle!", flüsterte Dschafar ehrfürchtig. Er wandte sich zu Gazzim. „Also, besorg mir die Lampe!"

Als Gazzim sich der Höhle näherte, donnerte eine Stimme: „Seid gewarnt! Die Wunderhöhle darf nur der betreten, dessen wahre Werte sich noch tief verbergen – ein ungeschliffener Diamant!"

Der Dieb kletterte vorsichtig in das Tigermaul – und dieses schnappte zu!

„Was machen wir jetzt?", frage Jago.

„Ich muss ihn finden ... diesen ungeschliffenen Diamanten", sagte Dschafar grimmig.

In Agrabah

Am nächsten Morgen rasten ein junger Mann namens Aladdin und sein Affe Abu über den Markt von Agrabah.

„Haltet den Dieb!“, riefen die Wachen des Sultans, die sie verfolgten.

„Nur wegen einer Stange Weißbrot!“, rief Aladdin. Geschickt entkam er den Wachen und brachte sich in Sicherheit.

„Und nun genießen wir unser Festmahl“, sagte Aladdin zu Abu, als sie sich niedersetzten, um ihre erste Mahlzeit seit Tagen zu sich zu nehmen. Doch da sah Aladdin zwei hungrige Kinder, denen es noch schlechter ging als ihm. Mitleidig gab er ihnen das Brot, und die beiden Freunde gingen mit leerem Magen nach Hause.

„Eines Tages, Abu, wird alles anders“, sagte Aladdin und betrachtete den Sultanspalast durch das Fenster. „Dann sind wir reich, haben einen Palast und lassen all unsere Sorgen hinter uns.“

Zur gleichen Zeit im Palast war Prinzessin Jasmin sehr unglücklich. Ihr Vater, der Sultan, wollte sie mit einem hochnäsigen Prinzen verheiraten – und das schon in drei Tagen!

„Wenn ich mal heirate, dann nur aus Liebe", widersprach sie und tätschelte ihren Tiger Radsha.

„Ich war noch niemals außerhalb der Palastmauern“, sagte Jasmin traurig und betrachtete ihre Kanarienvögel. Dann öffnete sie die Käfigtür und ließ die Vögel frei!

Der Sultan wusste nicht mehr weiter! Er rief seinen Großwesir zu Hilfe.

„Dschafar, ich brauche deinen Rat“, flehte der Sultan. „Jasmin weigert sich unentwegt, einen Gatten auszusuchen.“

„Vielleicht kann ich eine Lösung finden“, grinste Dschafar. „Aber dazu benötige ich den mystischen blauen Diamanten.“ Der Diamantring bedeutete dem Sultan sehr viel, und er wollte sich nicht davon trennen. Da hypnotisierte Dschafar ihn mit seinem Schlangenstab!

Jasmin hatte beschlossen, bei Sonnenuntergang wegzulaufen.

„Ich kann nicht hierbleiben und zulassen, dass andere für mich entscheiden“, erklärte sie Radsha.

„Du wirst mir auch fehlen.“ Dann kletterte sie über die Palastmauer.

Auf der anderen Seite fand sich Jasmin plötzlich allein in einer neuen Welt wieder – auf Agrabahs geschäftigem Markt.

Es dauerte nicht lange, und die schöne Prinzessin hatte Aladdins Aufmerksamkeit erregt. Er begann sie zu beobachten.

Als Jasmin ein hungriges Kind sah, gab sie ihm einen Apfel von einem Obststand.

„Hoffentlich hast du vor, für diesen Apfel zu bezahlen!", sagte der Obstverkäufer grimmig. „B-bezahlen?", stammelte Jasmin. „Ich habe leider kein Geld dabei!"

Plötzlich erschien Aladdin und stellte sich vor den verärgerten Obsthändler.

„Oh, ich danke Ihnen von Herzen, werter Herr! Ihr habt sie gefunden! Ich habe sie schon überall gesucht!“, sprudelte es aus ihm heraus, während er fieberhaft überlegte. „Sie ist meine Schwester. Aber sie spinnt ein bisschen!“

Dann wandte sich Aladdin an Jasmin. „Komm, Schwesterlein!“, sagte er und nahm die Prinzessin bei der Hand. „Der Onkel Doktor wartet schon auf dich.“

Im Palast ging Dschafar eine geheime Treppe hinauf in sein Laboratorium im Turm. Er legte den Ring des Sultans in ein Gerät, das wie eine Sanduhr aussah. Plötzlich blitzte es – und der Sand begann zu wirbeln und zu glitzern!

„In der Sanduhr liegt die Antwort. Zeige mir jenes Wesen, das die Wunderhöhle betreten darf!", verlangte Dschafar. Ein Abbild von Aladdin erschien in der Sanduhr.

„Ah, das ist er – mein ungeschliffener Diamant!", grinste Dschafar böse.

Er befahl den Wachen des Sultans, den jungen Mann zu finden und in den Palast zu bringen.

„Wo kommst du her?“, fragte Aladdin und führte Jasmin auf das Dach des Hauses, wo er wohnte.

„Ich bin weggelaufen“, antwortete Jasmin seufzend. „Mein Vater will mich dazu zwingen zu heiraten.“

„Das ist furchtbar!“, pflichtete Aladdin ihr bei.

In diesem Augenblick stürmten die Palastwachen hinauf in Aladdins Versteck. Aladdin und Jasmin versuchten zu fliehen, aber sie wurden schnell gefasst.

„Wir laufen uns einfach immer wieder über den Weg, nicht wahr, du Ratte?“, sagte der Anführer der Wachen hämisch zu Aladdin.

„Lasst ihn sofort frei!“, rief Jasmin und gab sich zu erkennen. „Auf Befehl der Prinzessin!“

„Prinzessin Jasmin!“, stießen die Wachen hervor.

„Die Prinzessin?“, rief auch Aladdin überrascht.

„Ich habe strikte Anweisung von Dschafar“, sagte der Anführer der Wachen. „Ihr müsst es mit ihm ausmachen.“

„Glaubt mir, das werde ich!“, rief die Prinzessin.

Im Palast befahl Jasmin Dschafar, Aladdin freizulassen.

„Unglücklicherweise ist das Urteil des Jungen schon vollstreckt worden“, log Dschafar. „Tod – durch Enthauptung.“

„Nein!“, schluchzte Jasmin. „Wie konntet Ihr?“ Weinend lief sie davon.

In ein dunkles Verlies gesperrt, dachte Aladdin an die schöne Prinzessin, die er niemals wiedersehen würde. Glücklicherweise konnte Abu ihn von den Fesseln befreien.

Plötzlich erschien ein alter Gefangener aus dem Dunkel.

„Es gibt eine Höhle voller Schätze", flüsterte er. „Schätze, die sogar deiner hübschen Prinzessin gefallen würden."

Aladdin wurde neugierig, und so folgte er dem Alten durch einen geheimen Ausgang in die Wüste.

Die Lampe in der Höhle

Es dauerte nicht lange, da standen er und Abu vor der Wunderhöhle! Der Tiger ließ Aladdin hinein – aber wies ihn an, keinen der Schätze zu berühren, nur die Lampe.

„Vergiss nicht, zuerst holst du mir die Lampe, erst dann kriegst du deine Belohnung", erklärte der Alte.

Aladdin und Abu betraten die Höhle und gingen dann die steilen Stufen hinab, tiefer und immer tiefer ...

… bis sie in eine riesige Kammer gelangten, die mit Bergen goldener Schätze gefüllt war!

„Nur eine Handvoll von diesem Zeug, und ich wäre reicher als der Sultan!“, rief Aladdin aus.

Abu wollte nach einem glitzernden Rubin greifen.

„Bloß nichts berühren!“, rief Aladdin warnend. „Wir müssen diese Lampe finden.“

Plötzlich fühlte Abu, wie ihm jemand auf die Schulter klopfte. Es war ein fliegender Teppich!

„Vielleicht kannst du uns helfen?“, fragte Aladdin den Teppich. „Wir suchen hier eine Wunderlampe.“

Der fliegende Teppich war überglücklich, den beiden helfen zu können.

Er führte Aladdin und Abu in eine weitere Kammer. Ganz oben, am Ende einer gewaltigen steinernen Leiter, erblickte Aladdin die goldene Lampe auf einem Altar.

Kaum hatte Aladdin die Lampe an sich genommen, griff Abu nach einem glitzernden Edelstein in der Hand eines goldenen Idols. Der fliegende Teppich versuchte, den gierigen Affen aufzuhalten, doch Abu hatte den Juwel schon an sich genommen.

Die Erde begann zu beben. Dann sprach die Stimme der Höhle: „Ihr habt den verbotenen Schatz berührt! Von nun an werdet ihr das Tageslicht nie wieder erblicken!“

Die Höhle um sie herum begann einzustürzen. Aladdin und Abu sprangen schnell auf den fliegenden Teppich, der sie in Richtung des Höhlenausgangs trug. Ein Schwall flüssiger Lava raste hinter ihnen her.

Aladdin klammerte sich an den bröckelnden Rand des Höhlenausgangs. Dort wartete der Alte. „Hilf mir raus!“, rief Aladdin, „ich kann mich nicht mehr festhalten!“ „Zuerst die Lampe!“, rief der Alte zurück. In dem Augenblick, als Aladdin ihm die Lampe überreichte, gab sich der alte Mann zu erkennen – es war Dschafar!

Der Bösewicht lachte und stieß Aladdin in die einstürzende Höhle! Abu griff Dschafar an, aber auch den Affen stieß Dschafar wieder hinunter.

„Nun gehört sie mir!“, lachte Dschafar und griff in seinen Umhang – doch die Lampe war spurlos verschwunden!

„Neiiiin!“, rief er.

In der Wunderhöhle herrschte Grabesstille.

„Wir sitzen fest!“, rief Aladdin verzweifelt. Aber Abu streckte ihm strahlend seine Hand entgegen.

„Die Lampe!“, freute sich Aladdin. Der Affe hatte sie sich wieder geschnappt, als er Dschafar angegriffen hatte.

Aladdin besah sich die goldene Lampe und wunderte sich, was daran so besonders sein sollte.

„Es sieht so aus, als wäre hier etwas eingraviert, aber es ist ziemlich schwer zu lesen.“ Er rieb die Lampe, um sie vom Staub zu befreien.

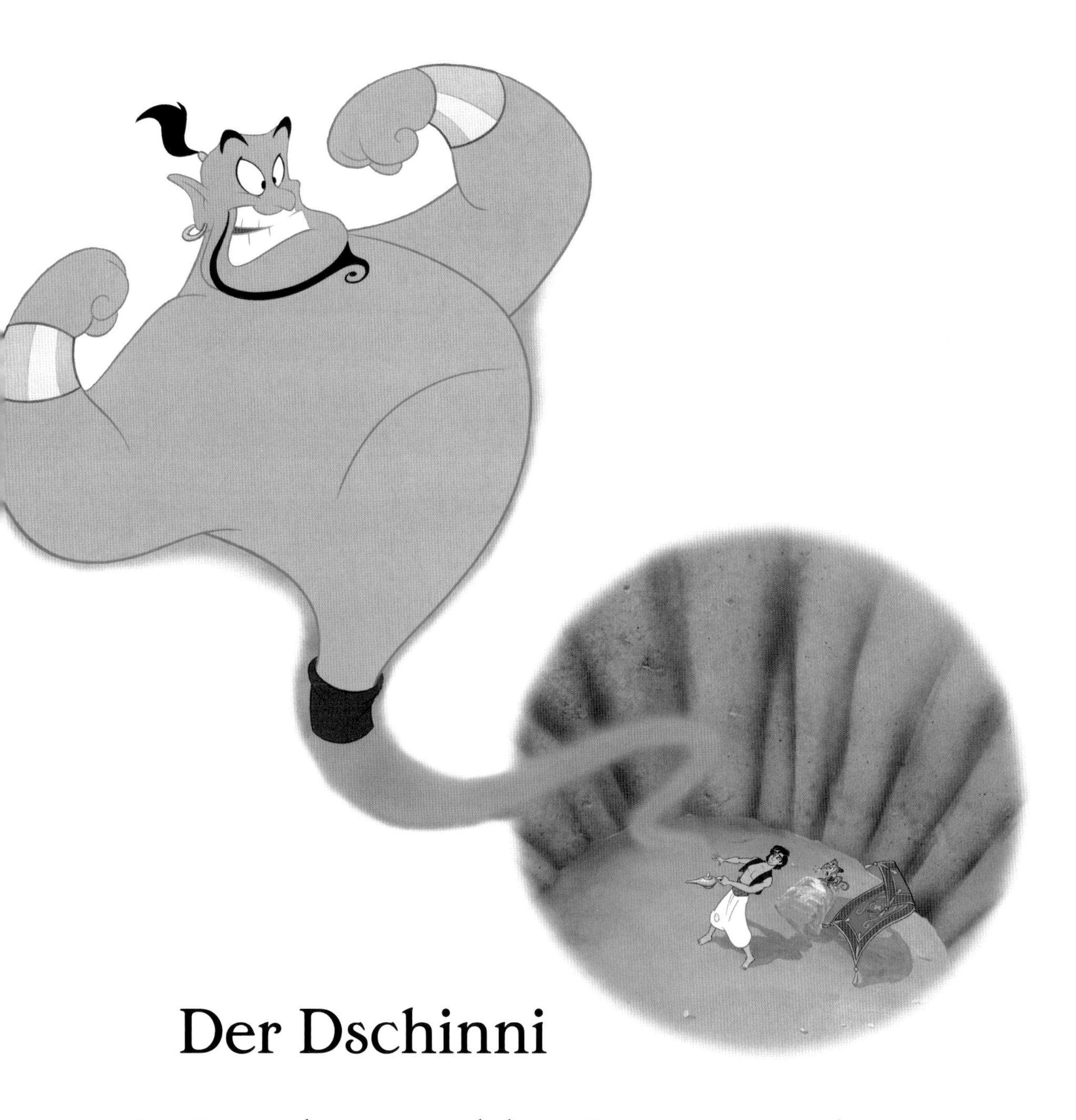

Der Dschinni

Die Lampe begann zu glühen. Dann entsprang ihr eine turmhohe Rauchwolke, die die Gestalt eines blauen Riesen annahm!

„Oh, du bist ja wesentlich kleiner als mein letzter Meister“, sagte der Riese und beugte sich zu Aladdin hinab.

Aladdin traute seinen Augen kaum – er hatte seinen eigenen Flaschengeist namens Dschinni! Dieser erklärte Aladdin, dass er ihm nun drei Wünsche erfüllen werde.

Aladdin wollte keinen Wunsch verschwenden, und so brachte er den Dschinni mit einem Trick dazu, sie aus der Höhle zu befreien.

„Na, was sagst du dazu!“, prahlte der Dschinni, als sie auf dem Zauberteppich über die Wüste hinwegflogen.

„Was wäre dein allergrößter Wunsch?“, fragte der Dschinni und bot Aladdin an, ihm den ersten seiner drei Wünsche zu erfüllen.

„Kannst du einen Prinzen aus mir machen?“, fragte Aladdin. Er wollte Prinzessin Jasmin beeindrucken.

„Vorhang auf!“, rief der Dschinni. „Aus dir machen wir jetzt einen Star!“

In der Zwischenzeit versuchte Dschafar mit allen Mitteln, Sultan zu werden. Da er die Wunderlampe nicht hatte, verfolgte er einen neuen Plan. Derjenige, den Prinzessin Jasmin heiraten würde, wäre der nächste Sultan. So nahm der Bösewicht seinen Schlangenstab, um den Sultan zu hypnotisieren.

„Ihr werdet der Prinzessin befehlen, sich mit mir zu vermählen!“, befahl Dschafar.

Zur gleichen Zeit in der Wüste legte der Dschinni die letzten Handgriffe an den neuen Prinzen. Aladdin war von Kopf bis Fuß in königliche Gewänder gekleidet.

Dann verwandelte der Dschinni Abu in einen riesigen Elefanten, und Aladdin ritt direkt in den Palasthof – verkleidet als Prinz Ali Ababwa!

Trompetenklänge erschallten, und die Türen zum Palast wurden aufgestoßen.

„Euer Majestät, ich bin weit gereist, um Euch um die Hand Eurer Tochter zu bitten", verkündete Aladdin. Der Sultan war freudig überrascht! Aber Jasmin dachte, Aladdin wäre nur ein weiterer hochnäsiger Prinz.

„Ich bin doch kein Preis, den man gewinnen kann!", rief sie empört und stürmte aus dem Thronsaal.

Um Jasmins Herz zu gewinnen, schwang sich Aladdin auf seinem fliegenden Teppich hinauf zu ihrem Balkon.

„Prinzessin Jasmin, bitte gebt mir eine Chance“, bat Aladdin. Dann lud er sie ein zu einem Ausflug im Mondschein.

Jasmin merkte, dass Prinz Ali in Wahrheit der junge Mann war, den sie auf dem Markt kennen gelernt hatte. Als der Morgen graute, hatten sich Aladdin und Jasmin ineinander verliebt!

Dschafar musste Prinz Ali verschwinden lassen, um seinen Plan verwirklichen zu können.

So befahl er seinen Wachen, Aladdin in Ketten zu legen – und ins Meer zu werfen!

Zum Glück war der Dschinni in der Nähe, und Aladdin benutzte seinen zweiten Wunsch, um sich zu retten.

„Wie kannst du mich so erschrecken!“, sagte der Dschinni, während er seinen Meister von den Ketten befreite.

Auf seinem Zauberteppich raste Aladdin zum Palast – gerade bevor der Sultan Jasmin befahl, Dschafar zu heiraten!

„Euer Hoheit, Dschafar hatte Euch unter seiner Kontrolle!", rief Aladdin und zerschmetterte den Schlangenstab.

„Du niederträchtiger Verräter!", schrie der Sultan. Aber bevor die Wachen Dschafar festnehmen konnten, verschwand der Bösewicht.

Später, in seinem Laboratorium, heckte Dschafar neue Pläne aus.

„Prinz Ali und Aladdin sind ein und derselbe!“, sagte er. „Er hat die Lampe!“

Am nächsten Morgen schlich Jago im Morgengrauen in Aladdins Zimmer und stahl die Lampe.

Endlich war Dschafar im Besitz der Lampe! Ungeduldig rieb er sie, und der Dschinni erschien.

„Ich bin jetzt dein Meister!“, brüllte Dschafar. „Ich wünsche mir das Land zu regieren ... als Sultan!“

Der Dschinni hatte nicht die Macht, sich zu widersetzen.

„Dschinni, nein!“, schrie Aladdin, als Dschafar den Palast in Besitz nahm.

„Tut mir Leid, Junge“, sagte der Dschinni. „Ich habe jetzt einen neuen Meister.“

Dann sprach Dschafar seinen zweiten Wunsch – der mächtigste Zauberer der Welt zu werden!

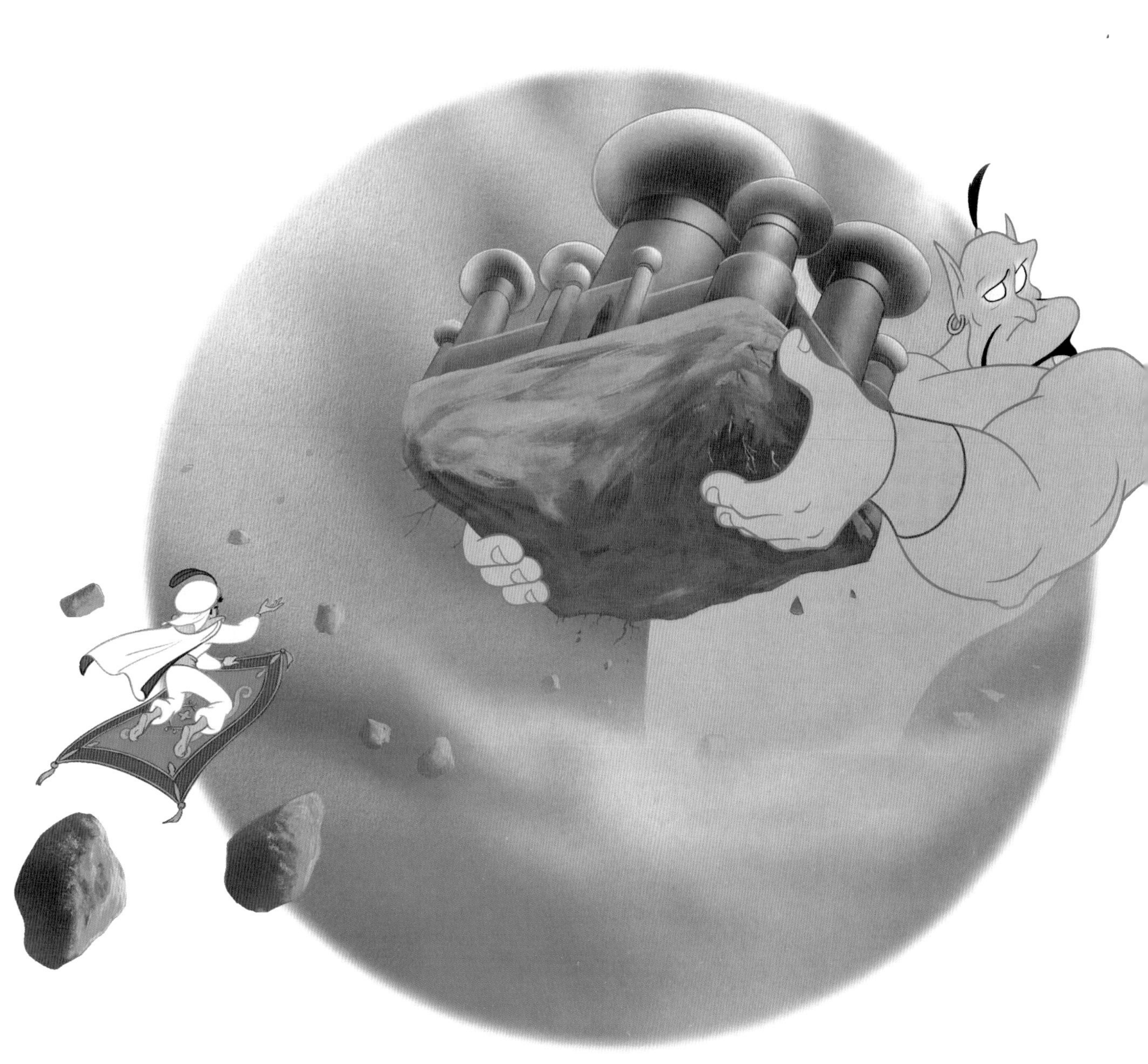

Dschafar nutzte seine böse Zauberkraft, um Aladdin in eine Region voller Eis und Schnee zu verbannen! Glücklicherweise waren Abu und der fliegende Teppich noch bei ihm.

„Zurück nach Agrabah!“, rief Aladdin, und sie schossen auf dem Teppich los.

Im Palast war der arme Sultan wie eine Marionette an Fäden befestigt. Und Jasmin war Dschafars Sklavin!

Dschafar war so damit beschäftigt, seine Macht zu genießen, dass Aladdin unbemerkt in den Thronsaal schleichen konnte. Doch plötzlich erblickte Dschafar Aladdins Spiegelbild in Jasmins Krone.

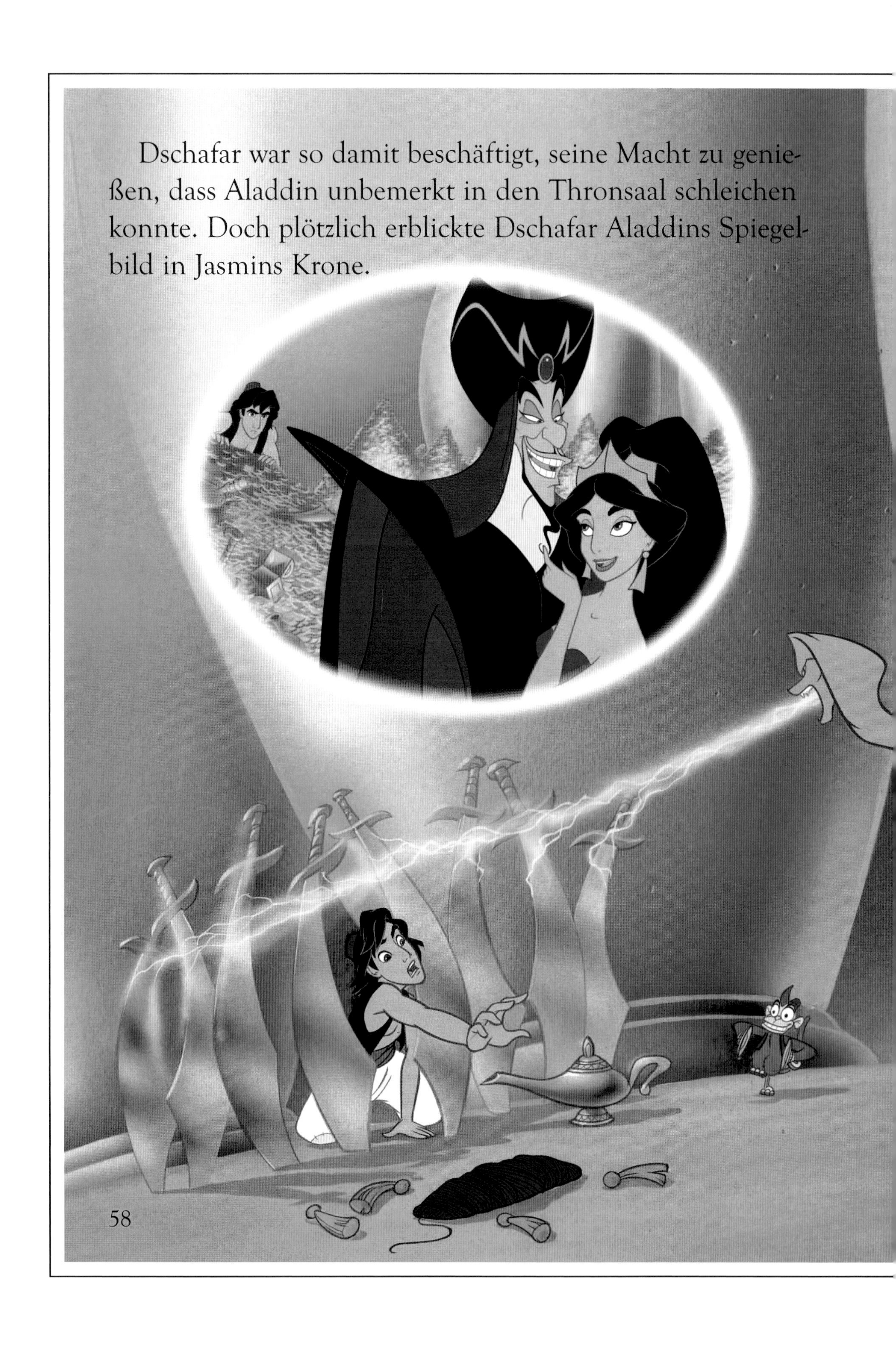

„Wie oft soll ich dich noch umbringen!“, schrie der Bösewicht und feuerte mit seinem Schlangenstab auf Aladdin.

Jasmin rannte ihrem Helden zu Hilfe.

„Prinzessin, deine Zeit ist abgelaufen!“, rief Dschafar aus und nahm sie in einer riesigen Sanduhr gefangen.

„Du feige Schlange!“, rief Aladdin.

„Soso, eine feige Schlange ...“, zischte Dschafar und verwandelte sich in eine riesige Kobra!

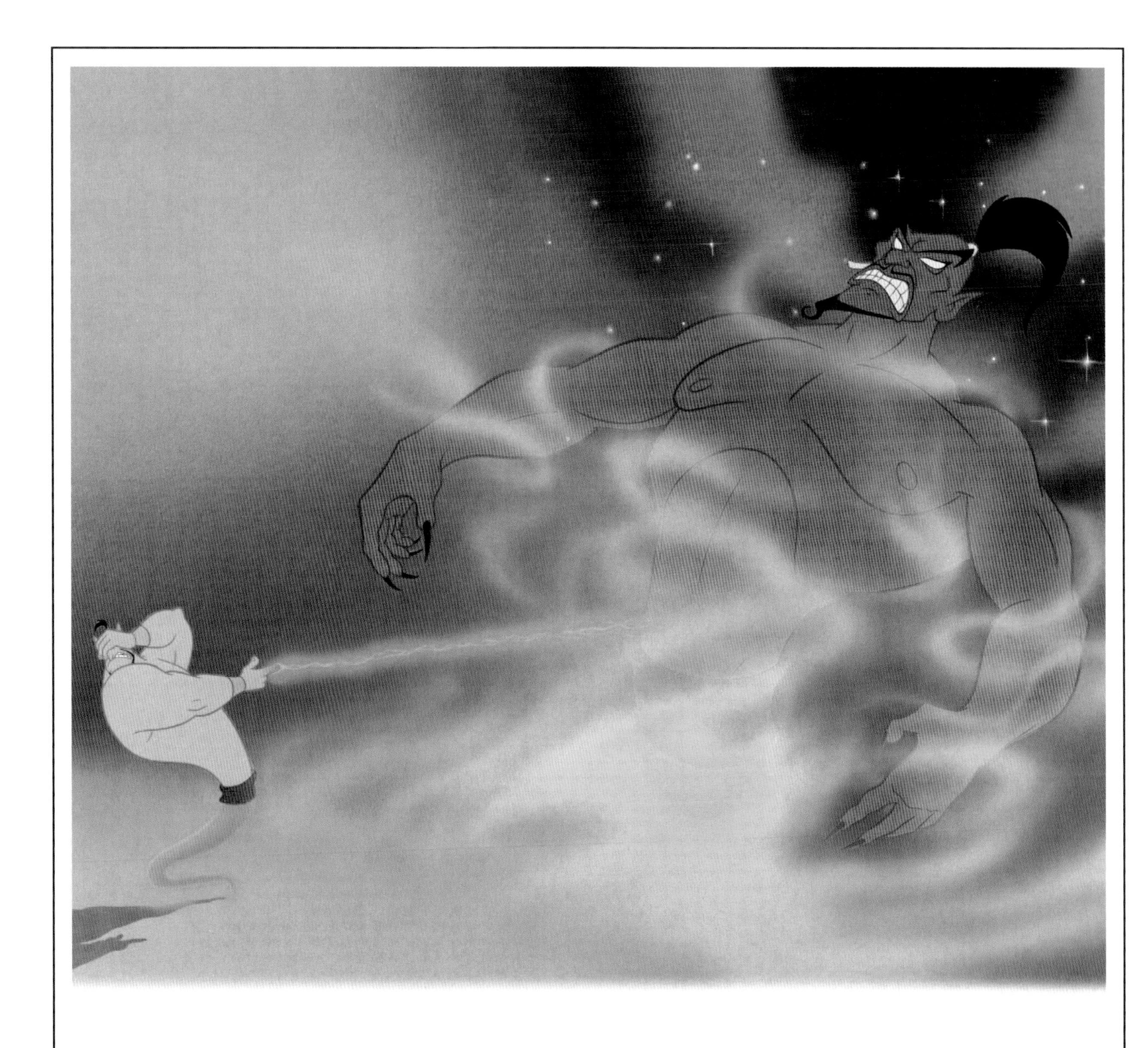

„Der Dschinni hat mehr Macht, als du jemals haben wirst!“, höhnte Aladdin.

Daraufhin nutzte der machtgierige Dschafar seinen letzten Wunsch, um sich in einen Dschinni zu verwandeln.

Aber der Bösewicht hatte eine wichtige Kleinigkeit vergessen – alle Dschinnis müssen in einer Lampe leben.

„Neiiiin!“, schrie Dschafar, als er in eine Wunderlampe gesperrt wurde – für immer und ewig!

Mit seinem dritten und letzten Wunsch schenkte Aladdin seinem Dschinni die Freiheit. Und der Sultan änderte das Gesetz, sodass Prinzessin Jasmin ihren Ehemann selbst wählen konnte.

„Ich will dich, Aladdin", sagte Jasmin und küsste ihren Prinzen. Und so lebten sie noch lange glücklich und zufrieden!